ERA UMA VEZ UM CASAL MUITO FELIZ, QUE IA TER UM FILHO. NOS FUNDOS DE SUA CASA, A MULHER PODIA AVISTAR UM MAGNÍFICO JARDIM, CERCADO POR UM MURO BEM ALTO, QUE NINGUÉM SE ATREVIA A ESCALAR.

CERTO DIA, A MULHER AVISTOU UM CANTEIRO COM BELOS RABANETES E SENTIU DESEJO DE PROVÁ-LOS. O MARIDO, QUE A AMAVA MUITO, PENSOU NUMA MANEIRA DE PEGÁ-LOS, A QUALQUER CUSTO.

AO ANOITECER, O HOMEM PULOU PARA O QUINTAL VIZINHO, ARRANCOU UM PUNHADO DE RABANETES E LEVOU PARA A MULHER, QUE PREPAROU UMA BELA SALADA. NO DIA SEGUINTE, SEU DESEJO DE COMER RABANETES FICOU AINDA MAIS FORTE.

À NOITE, O MARIDO PULOU NOVAMENTE O MURO, MAS VIU, EM PÉ, DIANTE DELE, UMA BRUXA. ELA ERA A DONA DO JARDIM E DEIXOU O HOMEM LEVAR OS RABANETES, COM A CONDIÇÃO DE FICAR COM A CRIANÇA, QUANDO NASCESSE.

O HOMEM, APAVORADO, CONCORDOU COM A BRUXA. POUCO TEMPO DEPOIS, A MULHER DEU À LUZ UMA MENINA. A BRUXA APARECEU E LEVOU A CRIANÇA EMBORA, DANDO A ELA O NOME DE RAPUNZEL.

RAPUNZEL CRESCIA CADA VEZ MAIS LINDA. QUANDO COMPLETOU DOZE ANOS, A BRUXA A TRANCOU NO ALTO DE UMA TORRE, SEM ESCADA, NEM PORTA, APENAS UMA JANELINHA. QUANDO ELA QUERIA ENTRAR, MANDAVA A JOVEM JOGAR SUAS TRANÇAS E SUBIA POR ELAS.

ALGUNS ANOS DEPOIS, UM PRÍNCIPE PASSOU PELA FLORESTA E OUVIU O CANTO MARAVILHOSO DE RAPUNZEL. ELE NÃO SABIA COMO SUBIR NA TORRE, ENTÃO DECIDIU FICAR ALI, APENAS OUVINDO E IMAGINANDO COMO SERIA O ROSTO DA DONA DAQUELA ENCANTADORA VOZ.

ALGUM TEMPO DEPOIS, ESCONDIDO ATRÁS DE UMA ÁRVORE, O JOVEM VIU A BRUXA APROXIMAR-SE E PEDIR A RAPUNZEL QUE JOGASSE SUAS TRANÇAS.

NO DIA SEGUINTE, O PRÍNCIPE CHEGOU PERTO DA TORRE E FEZ O MESMO.
A JOVEM FICOU ASSUSTADA QUANDO O VIU, MAS PERCEBEU QUE SEU AMOR POR ELA ERA SINCERO E SE APAIXONOU POR ELE.

O PRÍNCIPE A PEDIU EM CASAMENTO E ELA ACEITOU. MAS, PARA SAIR DALI, RAPUNZEL PRECISAVA QUE O JOVEM LHE TROUXESSE BASTANTE SEDA PARA TECER UMA ESCADA BEM FORTE.

E ASSIM FOI, ATÉ QUE UM DIA, SEM QUERER, RAPUNZEL FALOU À VELHA BRUXA QUE ELA ERA MAIS PESADA QUE O PRÍNCIPE.

FURIOSA, A BRUXA CORTOU AS TRANÇAS DE RAPUNZEL E LEVOU A JOVEM PARA VIVER NO DESERTO. NO MESMO DIA, PRENDEU AS LONGAS TRANÇAS NA JANELA DA TORRE E FICOU AGUARDANDO.

QUANDO O JOVEM CHAMOU POR RAPUNZEL, A BRUXA JOGOU AS TRANÇAS. O PRÍNCIPE SE ASSUSTOU COM A MALVADA E SE ATIROU PELA JANELA. ELE NÃO MORREU, MAS MACHUCOU OS OLHOS E NÃO PÔDE MAIS ENXERGAR.

DEPOIS DE ALGUNS ANOS VAGANDO PELO MUNDO, O PRÍNCIPE ENCONTROU SUA AMADA RAPUNZEL. A JOVEM SE ATIROU EM SEUS BRAÇOS, CHORANDO. DUAS LÁGRIMAS CAÍRAM NOS OLHOS DELE E O PRÍNCIPE RECUPEROU A VISÃO.

MUITO FELIZ, O PRÍNCIPE LEVOU RAPUNZEL PARA O SEU REINO, ONDE FORAM RECEBIDOS COM GRANDE ALEGRIA E, FINALMENTE, PUDERAM SE CASAR.